KELL KELLY

La broderie sur canevas à l'américaine

un cours pour débutants

Dessins : Joël BORDIER
Photos : Christine FLEURENT

SOLAR
8, rue Garancière
Paris

Mon premier ouvrage " sampler ".

INTRODUCTION

J'ai appris, il y a 7 ans à faire de la tapisserie sur canevas à l'américaine. J'étais malade depuis plusieurs mois. Le premier mois je n'avais pas le droit d'avoir de visites. Ma mère qui avait déjà attrapé le virus de la broderie, m'a donné du canevas blanc unifil, des restes de laine perse de différentes couleurs et le livre « Needlepoint » de Hope Hanley. Puis elle m'a dit « maintenant, tu te débrouilles. Commence par faire un « sampler » avec les points qui te plairont dans ce livre... et si tu as le moindre problème, je viendrai t'aider ».

En fait de problèmes, le premier fut d'enfiler l'aiguille, le second fut de comprendre le mécanisme du petit point. Heureusement, le livre était bien fait et je n'eus pas besoin d'appeler au secours trop souvent. Bref, le « sampler » de 35 cm × 35 cm fut terminé en trois jours. C'est ainsi qu'en pleine convalescence, je fus atteinte d'une seconde maladie totalement incurable... la broderie sur canevas à l'américaine !

Pour moi, la broderie sur canevas, ou autrement dit, la tapisserie, c'est à la fois un art, une détente (moins dangereuse et plus efficace que n'importe quel tranquillisant), un moyen de décorer mon appartement, véritablement à ma façon, la possibilité de faire des cadeaux de rêves, voire même de fabriquer moi-même mes accessoires vestimentaires : ceintures, sacs, gilets, dont je suis certaine que personne d'autre n'aura les mêmes. Si en France la tapisserie fait figure d'antiquité, de passe-temps démodé, lugubre, et ennuyeux, pour moi et pour des millions d'Américaines c'est un art vivant qui évolue très rapidement avec la mode et la décoration d'aujourd'hui.

Aux États-Unis, de nouveaux livres paraissent sans cesse, inspirés tantôt par d'anciens carrelages, tantôt par les « quilts américains », par des chinoiseries, ou par l'art moderne de Vasarely... tous les ans se tiennent des salons sur le thème de l'art de la tapisserie, où vont tous les propriétaires de boutiques de tapisserie. Ils viennent y apprendre les dernières techniques afin de raviver l'intérêt de leur clientèle. Grâce à tous ces passionnés de tapisserie, il existe actuellement plus de 300 points, et on apprend toujours, et on perfectionne toujours. Chaque fois que je vais aux États-Unis, je suis stupéfaite par tout ce qu'il y a de nouveau. C'est tellement amusant de jouer avec de nouvelles techniques, on ne s'en fatigue jamais puisque tout change tout le temps. L'art de la tapisserie ancienne, presque enterré, revient à la vie avec de nouvelles idées et la fraîcheur du temps présent.

Je n'aurais jamais pensé que j'écrirais un livre sur les points pour débutantes. Et surtout pas en français étant américaine ! Mais quand M. Anquetil m'a proposé de le faire, j'ai accepté, sans beaucoup réfléchir à l'importance du projet. Il m'a encouragée en me disant que cela ne serait pas trop difficile, « écrivez un livre sur vos cours de broderie sur canevas pour débutantes, écrivez exactement tout ce que vous dites à vos élèves ! » Alors voilà, c'est exactement ce que j'ai essayé de faire. J'espère que je vous dirai tout ce que je dis aux élèves quand je donne un cours. Car c'est grâce à mes élèves que j'écris ce petit livre, parce que ce sont elles qui m'aident à perfectionner le cours de débutantes. Je dois aussi remercier la boutique « Needleworks Ltd » à La Nouvelle-Orléans, parce que sans eux, je n'aurais jamais su réaliser les nouvelles techniques. Ils m'ont appris tous les petits trucs du métier !

Vous l'avez déjà compris ce livre n'est pas un livre intellectuel, il est écrit en langue parlée mais le but de ce genre de livre est d'enseigner sans difficulté. Sans l'aide d'un professeur sur place, vous devrez être capable de prendre en mains un canevas blanc unifil et faire un « sampler » avec tous les points donnés dans ce livre. J'espère bien vous donner les moyens d'atteindre ce but.

Je ne vous raconterai pas l'histoire de la broderie sur canevas, cela, vous pourrez le lire dans un livre sur la tapisserie, dans une bibliothèque. Mais je vous souhaite des heures agréables en apprenant la broderie sur canevas à l'américaine. J'éprouve toujours beaucoup de plaisir à voir mes élèves s'amuser à créer elles-mêmes ces « samplers » uniques. Chaque élève interprète les points différemment. Je n'aurais pas l'occasion de voir votre « sampler » et je le regrette, je suis certaine, et cela me console, que vous aurez fait quelque chose d'unique, un petit chef-d'œuvre.

En conclusion, je vous avoue que le premier « sampler » que j'ai fait il y a 7 ans, je le trouve bien laid, tous les progrès que j'ai faits depuis, et toutes les belles tapisseries que j'ai réalisées ne mettent vraiment pas mon premier ouvrage en valeur ! Et mes élèves ont créé des « samplers » beaucoup plus jolis que le mien. Mais je suis toujours étonnée par les gens qui regardent mon premier coussin en disant qu'ils l'aiment. Ce qui est sûr, c'est que sans ce premier ouvrage je n'aurais jamais créé la suite ! Allez, amusez-vous bien, et j'espère que le « virus » que vous attraperez ne sera pas trop grave !

LES FOURNITURES

CANEVAS

Pour faire de la broderie sur canevas il vous faut un canevas 100 % coton ou lin. Autrefois on trouvait du canevas de lin, maintenant un canevas de première qualité est 100 % coton.

Il y a quatre ans le meilleur canevas de coton était fabriqué en France, par Saint-Epin, mais malheureusement cette maison a été rachetée et ne fabrique plus cette qualité.

Le canevas que l'on trouve le plus facilement maintenant en France est souvent mélangé avec du nylon. Il est raide et devient très mou en travaillant. Il est bien sûr moins cher qu'un canevas 100 % coton mais il est désagréable à travailler et il abîme la laine, qui, elle, coûte cher. La différence entre les deux qualités de canevas ne vaut pas l'économie... C'est un peu comme les fourrures de lapin et de vison; il y a trop de différence! Le canevas 100 % coton se trouve en 1 mètre de large, et en 1,50 m de large, alors que le canevas de nylon est en 90 cm, une autre raison pour choisir la qualité. Donc, ne soyez pas avare, vous seriez très déçue, la broderie sur canevas doit être un loisir agréable.

Je vous parlerai maintenant d'une bonne qualité de canevas. Vous le reconnaîtrez à la lisière *orange*, il est fabriqué en Allemagne par Zweigart et Sawitzki. Cette lisière orange est votre garantie de qualité. Le canevas n'est pas trop raide et ne ressemblera pas à un vieux torchon quand vous le travaillerez. Je vous indiquerai quelques adresses à la fin du livre pour trouver les fournitures de qualité.

Il existe deux sortes de canevas : unifil et pénélope.

LE CANEVAS UNIFIL

Le canevas unifil est monté sur une trame horizontale et une chaîne verticale. On le trouve en blanc et en écru. Il existe en plusieurs grosseurs : de 10 (10 trous par 2,5 cm) jusqu'à 24 (24 trous par 2,5 cm). Le 10 est prévu pour un travail en gros points et on diminue par la suite : pour obtenir plus de détails, il faut un canevas plus fin, le 14 ou le 18. On choisit la taille du canevas selon l'ouvrage que l'on veut réaliser. Pour la débutante, je conseille toujours le 12. C'est la meilleure taille pour apprendre. Pour la broderie florentine, ou un ouvrage au petit point, je conseille le 14. Les tailles plus fines sont destinées à un travail très détaillé (les sacs, les tapis pour une maison de poupées, les étuis à lunettes, les décorations pour le sapin de Noël, etc.).

Le canevas unifil existe dans les grosseurs suivantes : 10, 12, 13, 14, 16, 18, 20, 24. Le canevas

24 est de couleur pêche ou jaune.

Pour faire de la broderie sur canevas à l'américaine, on n'utilise que du canevas unifil, parce que le pénélope ne s'adapte pas à l'utilisation de tous les points. N'oubliez pas qu'il existe plus de 300 points de broderie sur canevas!

LE CANEVAS PÉNÉLOPE

Le pénélope est une invention du XIXe siècle. Dans l'ancien temps, en France, on ne trouvait

Le pénélope est un canevas monté sur deux trames horizontales traversant deux chaînes verticales très serrées. On travaille le fond au gros point et on divise les chaînes verticales pour travailler le motif au petit point. On peut donc prendre 4 points dans l'espace d'un gros point; par exemple, si on travaille un canevas 10/20, on travaille le fond en 10, mais pour le dessin on peut obtenir le détail d'un canevas 20. Mais ainsi que je l'ai déjà dit, tous les points ne

Un étui à lunettes au petit point; pour le montage, on a utilisé le point de croix allongé.

que de l'unifil; si vous regardez le canevas utilisé sur les chaises du XVIIIe, vous verrez que c'est un canevas unifil; le seul canevas connu au XVIIIe, la haute époque de la broderie sur canevas en France.

sont pas réalisables sur du pénélope, et la plupart des gens qui achètent le pénélope, ne se servent jamais des chaînes verticales. De plus, pour une débutante, ces chaînes verticales doublées ne feraient que vous embrouiller.

LE CANEVAS DE LIN

Autrefois, les canevas unifils étaient souvent faits avec du lin. Quelle chance les gens du XVIIIe siècle ont eue! Ce canevas est très beau, en blanc cassé ou beige. Mais malheureusement il est devenu très cher à fabriquer. C'est pourquoi on le réserve à deux genres de travail : L'exécution ton sur ton, comme une dentelle en relief, et pour les points tirés, travaillés avec du coton perlé et des fils d'or. Mais dans ce premier livre, je ne vous apprends à faire que les points de base. Les points de dentelle et les points tirés sont réservés aux deuxième et troisième niveaux de cours. Toutefois, le jour où vous aurez l'occasion d'essayer de travailler sur le lin, vous serez séduite pour toujours! On trouve du canevas de lin dans les tailles très fines, du 18 au 24. Ce n'est donc pas conseillé pour un grand ouvrage : on n'en finit pas.

COULEUR DU CANEVAS : QUELQUES CONSEILS

Un artiste, en préparant une toile, pose une couche de peinture blanche sur la toile de couleur écrue pour mieux faire ressortir ses couleurs et pouvoir saisir ainsi les vraies nuances de la tonalité. De la même façon, il est plus logique de peindre sur du canevas blanc que sur de l'écru. Je pense que c'est en grande partie pour cette raison que les Français pensent que la tapisserie est pénible à faire, et que cela demande beaucoup de patience : c'est parce qu'ils ont travaillé sur un canevas peint à la main ou imprimé directement avec les nuances de couleurs, une trentaine environ, si bien qu'ils n'ont pas pu voir les différences de couleurs sur ce canevas écru! C'est comme cela que l'on se décourage vite, que l'on devient frustré, et que l'on perd patience. On finit par détester la tapisserie, en prétextant que cela fait mal aux yeux et exige trop de temps et de patience. Si j'avais moi-même appris la tapisserie en France, j'aurais sûrement eu la même réaction, je n'aime pas cette couleur écrue, elle est triste; le blanc est beaucoup plus frais. Donc, si vous voulez aimer la tapisserie, la broderie sur canevas à l'américaine, travaillez votre premier canevas peint sur du blanc!

Alors pourquoi l'écru existe-t-il? Pour les points florentins. Les points florentins datent du XIIIe siècle, ce sont des points verticaux où l'on passe sur plusieurs chaînes du canevas, en laissant trois ou quatre trous vides entre chaque point. Même si on utilise de la laine anglaise qui gonfle mieux qu'une laine de tapisserie torsadée, on risque de voir les chaînes de canevas, surtout si on tire trop, l'écru se voit moins que le blanc. Donc pour les points florentins (le Bargello ou le point lancé), utilisez le canevas écru.

LES NŒUDS DANS LE CANEVAS

Il est impossible de trouver un canevas sans nœuds, même dans le canevas de Zweigart il y en a. Essayez de les éviter quand vous dessinez vos ouvrages. Ces nœuds sont gênants parce qu'ils peuvent se défaire lorsque l'on travaille ou que l'on redresse l'ouvrage terminé. Si vous avez un nœud dans votre ouvrage, mettez un peu de colle blanche à l'endroit du nœud pour le rendre plus solide.

Voir page suivante les photos de canevas le plus utilisé...

LES FILS POUR EXÉCUTER LA BRODERIE SUR CANEVAS A L'AMÉRICAINE

LA LAINE

Pour faire une broderie sur canevas, de la tapisserie, il faut une laine fine. Cette laine fine s'adapte à tous les points de tapisserie, et n'est pas limitée seulement à deux tailles de canevas comme la laine torsadée à tapisserie. Selon la grosseur du canevas ou le point, on prend 2, 3 ou 4 brins de laine; le résultat est mille fois plus joli et les possibilités de création illimitées.

LA LAINE ANGLAISE DE BRODERIE " APPLETON "

La laine anglaise d'Appleton est une laine fine à poils longs qui existe dans plus de 200 couleurs avec, dans chaque gamme, 8 et parfois 9 dégradés. Je conseille toujours cette laine de préférence aux autres, pour les ouvrages au point florentin, elle couvre mieux le canevas et ressemble à un plumage d'oiseau. Elle fait mieux ressortir les points différents, et elle est très agréable à travailler. Elle est aussi économique et la présentation en écheveaux de 25 g est très pratique.

On défait l'écheveau et on le coupe à chaque bout, on obtient ainsi une longueur de fil parfaite pour travailler. Cette façon de présenter une laine à tapisserie est la plus pratique. On n'a jamais de problèmes comme avec une laine à tapisserie torsadée où l'on doit tirer à chaque fois une nouvelle aiguillée de laine et dont la présentation n'est pas étudiée pour la tapisserie facile et pratique puisque l'on tire, coupe, sans jamais avoir la même longueur de fil... Vous comprendrez pourquoi je préfère la présentation de la laine anglaise.

LA LAINE PERSE " PATERNAYAN "

Cette laine ne vient pas d'Iran, mais des U.S.A.; cette sorte de laine est la plus solide et la plus brillante que l'on peut utiliser pour faire de la tapisserie. La première fois que j'ai vu cette laine américaine, j'ai pensé qu'elle était mélangée à de la soie! Elle est douce, brillante et surtout solide. Comme le nom l'indique on utilise cette sorte de laine pour les tapis persans. C'est la manière d'élever les moutons qui rend la laine solide et brillante. La carte de couleurs de la laine Paternayan est une splendeur à elle toute seule! Plus de 300 couleurs, des tons frais, anciens, mais ni sales ni fades, les couleurs vives et les pastels à l'anglaise, avec 7 ou 8 dégradés dans chaque gamme de couleur. Cette laine ne perd pas son brillant en cours de travail et devient encore plus belle avec l'âge.

Chaque fil de laine perse contient 3 brins qui sont faits pour se diviser facilement, on tire un brin et hop! C'est parti! Selon la grosseur du canevas on travaille avec trois, deux ou un brin.

Je vous conseille de toujour séparer vos brins de laine, même si vous travaillez avec le fil entier de 3 brins, le travail sera plus beau.

On trouve cette laine perse Paternayan à Londres et à Paris et partout aux Etats-Unis. La présentation de cette laine est pratique. Peut-être pas pour tous les commerçants, mais pour nous, qui allons passer des heures agréables en faisant notre broderie sur canevas. Cette laine est vendue en gros, en écheveaux de 250 g. Le commerçant la divise en écheveaux de 23 fils (15 g), mais on peut acheter un seul fil si l'on veut! Voilà qui est rare!

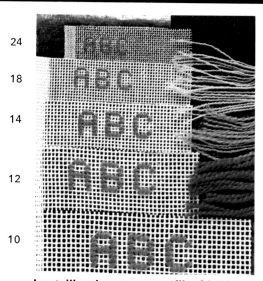

24

18   Medicis

14   Appleton

12   Paternayan

10

Les tailles du canevas unifil : 24, 18, 14, 12 et 10 et les différentes sortes de laine, Medicis, Appleton, Paternayan.

LA LAINE POUR BRODERIE " MEDICIS "

Voici une laine faite en France qui est agréable à travailler. La seule critique que je lui ferai c'est que la carte de couleurs est trop petite et un peu « vieillotte »; il faut aimer les couleurs sombres, avec peu de dégradés, seulement 4 par gamme de couleur. Les couleurs vives et fraîches n'existent pas, c'est pour cette raison qu'autrefois le Medicis était mélangé à de la laine perse et de la soie pour ajouter des couleurs fraîches au travail. C'est une idée fausse de croire que les couleurs des tapisseries anciennes étaient ternes; c'est une idée du XXᵉ siècle. On pense que les tons anciens doivent être sombres parce qu'on essaye de reproduire les mêmes tons que l'on voit aujourd'hui sur une tapisserie du XVIIIᵉ mais les couleurs sont sales et passées par l'âge, et la soie de la tapisserie est partie. Si on tourne le canevas à l'envers, on peut découvrir des couleurs encore fraîches et vives, surtout si la tapisserie est en bon état et qu'il y reste les parties travaillées en soie! Je n'ai rien contre la tapisserie ancienne des XVIIIᵉ et XIXᵉ siècles, mais seulement contre l'ancienne à la mode d'aujourd'hui, qui ne sera jamais ni exacte, ni jolie.

La laine Medicis est, à mon avis, la plus agréable pour travailler le petit point (le point de St-Cyr). Elle glisse dans les trames du canevas comme un velours de haute couture. Elle est présentée en écheveaux de 50 g, comme la laine anglaise, mais en plus grand. Malheureusement depuis qu'une autre maison a repris la suite de la fabrication de la laine Medicis, on la trouve moins facilement chez les détaillants. Demandez à votre boutique de tapisserie de la commander pour vous, mais vous serez obligée de prendre 50 g au minimum de chaque couleur commandée.

LE COTON PERLÉ

D.M.C. fait un très bon coton, mouliné, mat ou perlé, c'est sa spécialité. J'utilise surtout le coton perlé avec lequel je remplace la soie, il est beaucoup moins cher et aussi solide, et de plus le coton perlé est beaucoup plus facile à travailler que la soie. Il est présenté en bobine ou en écheveau de 15 m, je préfère l'écheveau pour la tapisserie, il est plus pratique. Il existe deux grosseurs que j'utilise, le 5 et le 3. Le 3 est plus épais. Pour un ouvrage au point florentin, soit je l'utilise pour un rang entier, soit je mélange le coton avec la laine dans la même aiguillée, l'effet est très joli. On peut utiliser également le coton pour les points tirés, noués, ce que l'on appelle le travail « dentelle ». Jouez avec dans votre ouvrage, c'est fait pour le rendre plus beau.

LES AIGUILLES

Il existe plusieurs tailles d'aiguilles pour la tapisserie, le 18,

GUIDE POUR LE CANEVAS UNIFIL

GROSSEUR DE CANEVAS (trou par 2,5 cm)	COULEUR	LAINE	NOMBRE DE BRINS dans une aiguille (*pour les points en diagonal)	GROSSEUR DE L'AIGUILLE
10	Blanc	Perse « Paternayan »***	3	18
12	Blanc	Perse Laine Colbert DMC	2 1	18
14	Blanc ou Ecru	Perse Laine anglaise Appleton Laine Medicis	2 3 3	18
16	Blanc ou Ecru	Perse Laine anglaise Medicis	1 ou 2 2 2	20
18	Blanc ou Ecru	Perse Anglaise Medicis	1 2 2	20
20	Pêche ou jaune	Anglaise Medicis	1 ou 2 2	22
24	Pêche ou jaune	Anglaise Medicis	1 1	22

* Pour les points florentins ou lancés, ajoutez un ou deux brins de plus.

20 et le 22. On utilise le 18 pour les grosseurs du canevas : 10, 12, et 14. Le 20 pour les canevas 16 et 18; le 22 pour les grosseurs de canevas encore plus fines. Les aiguilles de tapisserie sont arrondies au bout, cela abîme moins les fils, le canevas et... les doigts.

LES CISEAUX DE PETIT POINT

Surtout pas de grands ciseaux. Les meilleurs ciseaux pour la tapisserie sont les petits ciseaux pointus et pliants; le rêve est de posséder des ciseaux pointus pour pouvoir défaire les erreurs, et pliants pour protéger le canevas quand on met les ciseaux dans le même sac que l'ouvrage pour pouvoir l'emporter n'importe où. Si vous ne trouvez pas de ciseaux pliants, il ne vous reste plus qu'à ne jamais mettre votre paire de ciseaux dans le même sac que l'ouvrage, vous risqueriez d'abîmer vos laines et de couper votre canevas. On peut réparer un canevas coupé mais ce n'est pas le travail le plus facile; je vous conseille donc de tout faire pour éviter ce petit désastre!

UN DÉ

Je ne suis jamais parvenue à m'habituer à l'utilisation d'un dé, et jalouse les gens qui y parviennent. Donc si vous êtes débutante au point de ne jamais avoir tenu une aiguille, essayez le dé. Vous sauverez vos petits doigts de la douleur! Il existe plusieurs tailles de dés, il faut les essayer avant de les acheter.

CONSEILS PRATIQUES

COMMENT CHOISIR VOTRE PREMIER OUVRAGE?

Vous êtes débutante et vous voulez commencer à faire de la tapisserie. Vous pensez recouvrir les deux fauteuils de votre salon »? Surtout ne débutez pas par un tel travail! Je vous conseille plutôt de commencer par un petit ouvrage pour apprendre quelque chose qui sera vite terminé... et vite exposé pour que vos amis le regardent avec admiration. Par exemple, un petit coussin de 25 × 25 cm, un dessin simple peint sur du canevas blanc unifil, grosseur 12, un dessin floral stylisé, aux couleurs fraîches, sans trop de fond à faire, mais surtout avec un dessin que vous aimez. La plupart des débutantes pensent qu'un dessin géométrique sera le plus facile, c'est vrai, mais on apprend très peu en le faisant, et les difficultés surgiront avec le prochain ouvrage fleuri, parce qu'on ne saura faire que les dessins carrés. Si vous apprenez avec un dessin fleuri, vous serez capable de faire tous les dessins, mais commencer par un dessin géométrique est déconseillé.

Si vous n'aimez pas les coussins, vous pouvez faire des étuis à lunettes, une ceinture, une pochette, un tableau. Vous vous perfectionnerez dans les points de tapisserie et lorsque vous aurez fait deux ou trois ouvrages, vous serez capable de faire vos chaises. C'est une catastrophe pour une débutante de se lancer dans un projet qui la laissera vite découragée, ce qui est dommage, parce qu'elle finira par détester la tapisserie, et aura de plus dépensé pas mal d'argent pour les fournitures de chaises qu'elle ne terminera jamais!

Si vous êtes fascinée par tous les points que vous verrez dans ce livre, vous pourrez faire un coussin « sampler », un échantillonnage de tous les points; une façon d'apprendre très amusante et créative. Pour ce faire, prendre 40 ou 45 cm de canevas unifil blanc, grosseur 12, pour faire un coussin 30×30 ou 35×35 cm. Il faut toujours laisser 5 cm de canevas non travaillé sur le pourtour, il faut donc toujours prendre 10 cm de plus pour calculer votre coussin ou chaise, etc. Regardez les photos des coussins « samplers » faits par mes anciennes élèves pour vous inspirer!

COMMENT DESSINER UN CANEVAS VOUS-MÊME

C'est votre premier ouvrage et vous ne voulez pas dépenser beaucoup d'argent pour un canevas peint à la main, parce que vous avez peur de le rater, alors vous décidez d'acheter un canevas imprimé bon marché. Les canevas imprimés ne peuvent pas suivre les trames de canevas; exemple : une ligne droite va en diagonale, une débutante va suivre le dessin tel qu'il est imprimé et s'apercevra que le dessin est déformé. En outre la qualité de canevas utilisée pour les imprimés est souvent moins bonne, et par conséquent très désagréable à travailler. Ce n'est donc pas une bonne affaire.

Si vous voulez faire des économies, faites vous-même votre dessin. Achetez du canevas blanc unifil de Zweigart et Sawitzki, 30 ou 40 cm (vous en aurez ainsi suffisamment pour faire deux coussins), un marker feutre pour le linge, absolument indélébile (il est indispensable de faire un essai préalable pour être certaine que l'encre ne déteindra ni sur la laine ni sur le canevas). On peut utiliser également de l'huile de thérébentine ou de la peinture acrylique diluée dans de l'eau (la meilleure marque me semble être Liquitex, peinture acrylique). La peinture acrylique est le système le plus simple; elle sèche rapidement et les pinceaux se nettoient facilement à l'eau.

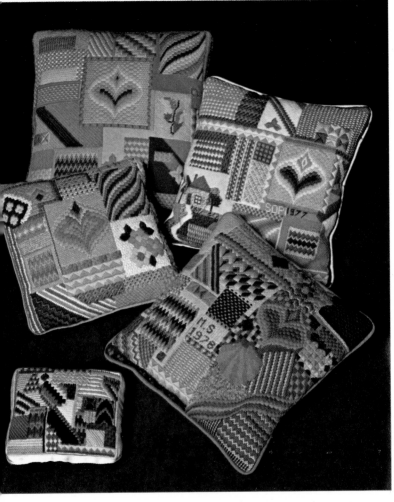

Les premiers coussins " sampler " de mes élèves.

On peut trouver beaucoup d'idées de dessins dans les tissus d'ameublement, les chintz anglais, etc..., ce sont des dessins déjà simplifiés, également dans les livres de fleurs, ou les livres d'enfants. Là aussi vous trouverez une quantité de dessins faciles à faire.

Si vous êtes artiste-peintre, prenez l'un de vos dessins et interprétez-le en tapisserie. Le résultat vous plaira peut-être plus que le dessin original!

Après vous être décidée pour un dessin, décalquez-le avec du papier calque et soulignez-le bien avec un feutre noir indélébile. Ensuite, prenez le canevas blanc et placez-le sur votre calque avec la lisière du canevas à gauche ou à droite, jamais en haut ni en bas.

Ce problème de lisière est très important, parce que le canevas tout comme le tissu a un sens et si vous travaillez à contresens vous obtiendrez des points moins plats qui auront tendance à boucler.

C'est comme pour la couture : Si vous prenez un tissu avec la lisière en haut (en biais) vous obtiendrez des points bouclés, le tissu froncera un peu, le résultat est le même avec du canevas, si vous travaillez à contresens. Souvent les canevas imprimés ont la lisière, en haut ou en bas; pour les travailler, tournez-les et travaillez-les avec la lisière à gauche. Une fois l'ouvrage terminé, la direction des points n'a aucune importance, la différence est dans le travail.

Mettez-vous bien cette règle en tête : la lisière doit toujours être à gauche ou à droite. Maintenant, avec le canevas centré sur le calque, tracez votre dessin avec le feutre indélébile, en restant bien sur les trames du canevas et non dans les trous du canevas. N'oubliez pas de laisser 5 cm tout autour de votre dessin.

Une fois le dessin tracé sur le canevas vous pouvez le peindre si vous voulez avec une peinture indélébile. Celle-ci aura une consistance semblable à du lait entier, ou encore un peu plus épaisse. Mais pour un petit dessin stylisé il n'est pas nécessaire de peindre le canevas. Le dessin que vous avez tracé suffira. Laissez sécher vingt-quatre heures votre canevas avant de le travailler.

Bordez votre canevas avec un ruban adhésif qui colle bien, ou cousez du ruban en biais tout autour, sinon il risque de s'effilocher et d'abîmer la laine.

COMMENT CHOISIR LA GROSSEUR DU CANEVAS?

Choisissez la grosseur du canevas selon le dessin, simple ou compliqué, et selon les points que vous avez l'intention de faire. Pour une débutante, qui certainement un dessin simple à faire, le 10 ou le 12 est la meilleure grosseur, et entre les deux choisissez de préférence le 12, les points seront plus beaux avec la taille la plus fine. Le 10 est recommandé pour faire un tapis, ou pour apprendre aux enfants. Pour les dessins géométriques, le 12 est recommandé. La couleur du canevas conseillé est le blanc, les couleurs ressortent mieux sur du blanc que sur de l'écru.

Si vous voulez des dessins floraux, des paysages, des naïfs, etc., la meilleure grosseur de canevas est le 14 blanc unifil. Avec le 14 on a le détail voulu et cette grosseur de canevas donne un travail beaucoup plus fin et plus raffiné; en outre, il n'est ni trop fin, ni trop fatigant pour vos yeux.

Le 14 écru est conseillé pour tous les ouvrages au point florentin, ou pour les points lancés. Je n'utilise que la couleur écrue pour ce genre de travail, car on y voit à peine les trames du canevas (on les distingue bien davantage en travaillant sur du blanc).

Les grosseurs encore plus fines, le 16, 18 sont conseillées pour les dessins très compliqués, ou les petites choses dessinées avec beaucoup de détails. Par exemple : les tapis pour les maisons de poupées, les étuis à lunettes, les sacs du soir, etc. Je vous conseille d'acheter une lampe-loupe pour travailler sur un canevas fin, elles sont assez chères, mais c'est plus sûr pour sauvegarder vos yeux.

Les grosseurs 20 et 24 sont réservées aux points de dentelle ou à la broderie à points tirés, ou plus simplement pour un ouvrage fait avec du coton ou de la soie. Il vous faut du courage pour travailler un canevas aussi fin, mais il faut essayer une fois au moins, parce que le travail sera bien plus beau, bien plus raffiné. Moi, paresseuse comme je suis, je n'ai jamais travaillé un ouvrage au petit point sur le 20 ou le 24, mais j'ai fait un sac avec des perles, et une page de garde pour un livre ancien qui est toujours exposé pour des amis. J'ai fait ce travail sur le 24 mais aux points florentins, un dessin « Spirale ». C'est

un petit travail vite fait et ravissant. Pour vos cadeaux de Noël vous ferez l'admiration de tous avec des cadeaux faits en tapisserie.

COMMENT CONNAITRE LA QUANTITÉ DE LAINE QU'IL FAUT ACHETER?

Les canevas peints à la main sont vendus normalement avec la quantité de laine qu'il faut, ainsi que les « kits » vendus avec toutes les fournitures. Mais si vous faites vous-même un ouvrage, comment savoir quelle quantité acheter?

D'abord, acheter quelques écheveaux de laine toutes les deux semaines pour ne pas dépenser trop d'argent à la fois est un très mauvais système, car souvent les bains changent de couleur, et si cela devait vous arriver, en particulier pour la laine de fond, votre ouvrage serait raté! D'autre part si vous ne travaillez pas régulièrement et s'il vous faut un an pour faire un petit coussin, le prix de la laine aura sûrement augmenté... où seront passées vos économies! Finalement vous aurez dépensé plus d'argent que si vous aviez tout acheté en une fois.

C'est vrai, a priori, faire de la tapisserie paraît cher, mais en comparaison avec d'autres loisirs, ce n'est pas cher du tout, parce qu'un coussin vous prendra environ 40 heures de travail, et si vous le dessinez vous-même, le coussin terminé (montage inclus) vous coûtera environ 200 F, donc 5 F de l'heure; on ne peut pas jouer au tennis, ni faire du yoga pour

5 F de l'heure. Donc ce n'est pas vraiment un loisir coûteux et ce sera de plus un loisir qui calmera vos nerfs en même temps qu'il ajoutera une note personnelle et ravissante à votre décor.

30 g de laine perse couvrent la surface de votre main, 13×13 cm. Un coussin 30×30 cm ne prendra pas plus de 130 g de laine. Un fil de laine 80 cm de long couvre 2×2 cm.

Calculez large; il vaut mieux avoir 30 g de trop que d'avoir besoin de 5 g de laine pour finir le fond. La couleur risque alors d'avoir changé de bain, deux mois après avoir acheté l'ouvrage, vous aurez peut-être la chance de trouver votre couleur, mais 3 ou 4 mois après, non! Avec les restes de laine vous pourrez faire beaucoup d'ouvrages; les « samplers », les abécédaires, étuis à lunettes, pelotes à épingles, etc...

Un conseil pour ceux qui voudraient faire de grands projets tel qu'un tapis ou des fauteuils. Ces projets prennent au moins un kilo de laine, et il est rare qu'une petite boutique de tapisserie ait la quantité voulue en stock, il faut donc la commander, et cela peut prendre plus d'un mois; vous pourrez travailler sur une petite chose en attendant, mais si vous désirez cela pour les grandes vacances, commandez deux mois à l'avance!

COMMENT RANGER VOTRE LAINE?

La laine a besoin de respirer, ne l'enfermez pas dans un sac en plastique, ou dans un sac de coton, elle deviendrait très sèche et serait très désagréable à travailler! Mettez-la plutôt dans une jolie corbeille de vannerie. L'important est qu'elle respire. Attention à la fumée car votre laine prendra facilement l'odeur du tabac, en tous cas, on ne peut pas fumer pendant que l'on fait la tapisserie, ce qui en fait un loisir parfait pour ceux qui voudront cesser de fumer! Un avantage de plus.

* Conseil à retenir.

CONSEILS DE TECHNIQUE

COMMENT TRAVAILLER? QUELQUES CONSEILS DE TECHNIQUE

Quand vous commencez à travailler pour la première fois, le coup de main ne vient pas tout de suite, mais heureusement, avec la pratique, les choses qui semblent difficiles au début deviennent automatiques ensuite. Vous trouverez vous-même votre façon et votre rythme de travail personnel; pour vous aider à y arriver, voici quelques conseils.

Commencez toujours avec le dessin, les petits détails, parce

Une aquarelle de François Deschenes et l'interprétation de cette œuvre au petit point par Marie-Françoise Deschenes, faite sur du canevas blanc unifil 14 avec de la laine perse.

19

que si vous avez d'abord rempli le fond autour d'une fleur non travaillée, vous avez perdu l'occasion de parfaire le contour de la fleur, de laisser l'avantage au motif. Après avoir travaillé le motif vous pouvez remplir le fond autour. Bien entendu, le fond n'est pas le travail le plus intéressant, et on peut préférer travailler le dessin et le fond ensemble, mais attendez pour ce faire d'avoir perfectionné le point de Saint-Cyr ou le petit point, parce qu'il faut absolument suivre la règle des trames verticales et horizontales. Si vous savez bien faire ce point vous pouvez travailler le canevas un peu partout, sinon travaillez tout le dessin et remplissez le fond ensuite. Un autre conseil, si vous avez choisi un fond très clair, travaillez le centre du canevas en premier, le canevas restera plus propre. En travaillant un grand ouvrage, roulez-le, et attachez-le avec des épingles à nourrice, vous aurez ainsi moins de mal à travailler au centre.

LE SENS DE LA LAINE

La laine a une direction, elle est plus douce selon que les poils descendent ou montent. On doit enfiler l'aiguille de façon a ce que le sens le plus doux se trouve en descendant. Le résultat est un travail plus net, moins poilu. Pour trouver le sens, tirez la laine légèrement dans les doigts, si elle brûle un peu les doigts, c'est le mauvais sens; cherchez le sens le plus doux.

Vous saurez aussi si vous travaillez la laine dans le bon sens si elle glisse bien dans les trous du canevas. Si la laine accroche, et se bloque souvent en travaillant, vous êtes certainement en train de travailler la laine à contresens.

POUR ENFILER UNE AIGUILLE. COMMENT FAIRE?

On n'enfile pas une laine à tapisserie comme un fil de couture, ce serait trop facile! Il faut plier la laine autour de l'aiguille, et la pincer pendant qu'elle est toujours autour de l'aiguille, ensuite retirez l'aiguille de vos doigts, sans changer la tension de la laine entre les doigts, puis glissez le chas de l'aiguille bien droit entre vos doigts, et la laine (qui est toujours bien pincée) rentrera sans problème dans le chas de l'aiguille. Cette méthode d'enfilage vous prendra un peu de temps à perfectionner, mais comme tout le reste, cela deviendra automatique et facile!

COMMENT DÉBUTER ET ARRÊTER LE FIL?

Pour commencer une aiguillée, piquez sur l'endroit du canevas et ressortez sur le même rang horizontal, à gauche ou à droite, la longueur d'une aiguille, en laissant une petite queue de 2 cm. En travaillant, vous piquez dans ce fil pour bien l'enfermer dans l'envers du travail, 2 points avant d'arriver à la petite queue, vous tirez sur cette queue et en faisant très attention à ne pas couper le canevas ni les points de tapisserie, vous la coupez. On ne fait jamais de nœuds dans un ouvrage, les nœuds déforment le canevas. Imaginez que vous êtes assise sur une chaise recouverte de tapisserie dont l'envers est constellé de nœuds, elle ne sera pas très confortable et vous ne resterez pas assise longtemps!

Il faut réfléchir avant de commencez avec un nouveau brin à ne pas placer la queue de laine trop en dehors de l'endroit où vous allez travailler. Il faut pouvoir le couper aussitôt que possible, sinon vous aurez de nombreux petits bouts de laine qui vous gêneront.

Pour arrêter un fil, il y a deux procédés. Vous pouvez l'arrêter de la même façon que vous avez commencé, ou vous pouvez le glisser dans le travail à l'envers du canevas, sur la longueur d'une aiguille, horizontalement ou verticalement, jamais en diagonale. Si vous glissez votre fil dans la diagonale du travail, cela risque de surélever les points travaillés en biais, et vous verrez apparaître un relief dans les rayures sur l'endroit du canevas; donc faites attention quand vous arrêtez votre fil à ce que la direction soit horizontale ou verticale, et vérifiez que vous avez bien passé le fil sur la longueur d'une aiguille. Après avoir arrêté le fil, coupez-le bien ras. Si vous ne coupez pas vos fils après les avoir enfermés, vous risquez de broder dedans, et si vous avez travaillé avec une couleur claire, et que vous êtes en train de broder dans une couleur foncée, vous verrez des bêtises sur l'endroit du canevas.

Pour commencer une aiguillée en cours de travail, glissez-la dans l'ouvrage sur l'envers du canevas, au moins sur la longueur d'une aiguille.

Si vous travaillez sur une partie d'un dessin où vous allez « voyager » avec la même couleur de laine, ne sautez pas d'un endroit à l'autre sans avoir glissé le fil dans l'envers; mais ne sautez jamais une distance dépassant 2 cm. Si vous voulez utiliser le même fil plus loin, il faut l'arrêter et recommencer.

En travaillant, la laine se tord; pour éviter cela prenez l'habitude de tourner l'aiguille dans les doigts d'un demi-tour, après chaque point; pour la débutante, il sera plus facile de lâcher l'aiguille et de laisser le fil se dérouler. Ne continuez pas de travailler après un fil très tordu, vous aurez un travail irrégulier, c'est un petit détail facile à éviter.

POUR RÉPARER VOS ERREURS...

Quand vous avez mal fait un point, ne le défaites jamais avec l'aiguille enfilée; vous risquez de piquer dans votre fil et ensuite vous aurez un nœud. Il est préférable de désenfiler l'aiguille et avec le bout rond, de défaire les points mal faits. Si vous avez raté tout un rang, ou une aiguillée entière, jetez le fil, il est très abîmé et moins solide. Si vous avez un espace assez important à défaire, défaites-le avec des ciseaux pointus, en faisant très attention à ne pas couper le canevas. Si ce petit désastre vous arrive, c'est réparable, mais ce n'est pas ce qu'il y a de plus facile ou de plus agréable.

COMMENT RÉPARER UN CANEVAS COUPÉ?

Si en défaisant une erreur vous coupez un fil du canevas, ne pleurez pas, on peut réparer. C'est un travail plus ennuyeux à faire que difficile. Coupez un bout du canevas de la même grosseur que le canevas à réparer, un carré de 8/8 cm environ. Trouvez la lisière; pour la trouver, tirez un fil vertical et un fil horizontal, comparez-les, le fil le plus an-douillé sera le côté lisière, mettez-le en verticale, placez le carré au milieu de l'endroit où vous avez coupé le canevas, alignez les trames verticales et horizontales. Pour que tout tienne bien en place, avec un fil de couture cousez les deux morceaux ensemble à gros points, ensuite prenez votre aiguille de laine et travaillez les deux épaisseurs du canevas. Après avoir brodé l'endroit que vous aviez coupé, sur environ 3 cm^2 tout autour, vous pourrez couper le canevas qui reste en plus. Et voilà, c'est terminé, ce n'était pas trop difficile après tout! Mais la prochaine fois que vous déferez un endroit mal brodé, faites attention à ne pas couper le canevas. Un canevas réparé est tout de même moins solide.

Un sac du soir au point florentin (ouvrage de Sybil d'Origny).

Vous pouvez décorer une chambre d'enfant avec
ces lettres faites au petit point...

LES POINTS MANQUÉS...

Enfin le canevas est terminé!
Ne parlez pas trop vite. Vous
avez certainement raté quelques
points, cela arrive même aux plus
expérimentées! Comment les réparer? Tenez le canevas devant
une lampe et les points sautés
apparaîtront. Marquez l'endroit
avec des épingles. Après les avoir
tous marqués, vous pourrez commencer à les remplir, point par
point.

REDRESSAGE DU CANEVAS

Après avoir terminé le canevas,
une fois les points sautés remplis, on le redresse pour qu'il
redevienne bien droit. Si le travail est destiné à un fauteuil et
si le canevas doit être monté par
un tapissier, le tapissier va re-

dresser le canevas pour vous, mais si c'est un coussin, un sac, un étui à lunettes, etc., vous pouvez le redresser vous-même.

Pour redresser un canevas vous-même, vous aurez besoin des articles suivants :

1. Une planche en bois, avec un papier quadrillé, ou une planche en bois recouverte de liège, avec un papier quadrillé en dessous.

2. Des clous en aluminium.

3. Un vaporisateur (un spray à l'eau).

Placez votre canevas, l'endroit du travail contre la planche, et clouez-le en suivant des lignes droites sur le papier quadrillé. Faites deux côtés à sec, ensuite mouillez le canevas avec le spray à l'eau complètement et en tirant, clouez les deux autres côtés, toujours en suivant les lignes de papier quadrillé.

Le canevas doit rester sur la planche au minimum pendant 24 heures, si votre canevas est encore déformé après, recommencez le redressage.

Si vous avez fait un ouvrage entièrement au point Continental, vous aurez besoin de redresser le canevas 3 fois, et encore, il ne sera jamais parfaitement droit. Mais les points montés en biais, les points florentins se déforment moins et un seul redressage suffira.

Si vous trouvez que votre ouvrage est sale, avant de le redresser, vous pouvez le laver à la main avec du Woolite, et le laisser sécher enroulé dans une serviette éponge. Pour laver un ouvrage qui est déjà monté, prenez une éponge et du Woolite, passez la mousse sur l'ouvrage, ensuite rincez-le avec l'éponge.

MONTAGE

Le montage de la tapisserie revient cher parce qu'il doit être fait par un professionnel, soit un tapissier, soit une couturière. C'est toujours malheureux de voir un coussin parfaitement réussi et qui a demandé beaucoup de temps, lorsque le montage du coussin ou de l'ouvrage est raté. Vous aussi serez très déçue de n'avoir pas décidé de dépenser un peu plus d'argent pour avoir un ouvrage bien mis en valeur. Si vous passez par un tapissier, un coussin vous coûtera au moins 100 F. Si vous connaissez quelqu'un qui coud très bien, tant mieux pour vous. Mais ne donnez pas votre ouvrage à quelqu'un qui est vraiment amateur, vous serez certainement déçue. Les maisons de tapisserie, les décorateurs, les tapissiers peuvent avoir votre confiance, donnez-leur votre ouvrage et rapportez chez vous un chef-d'œuvre!

LE GUIDE DES POINTS

LES POINTS FLORENTINS

Les points florentins sont des points verticaux ou horizontaux. Voici quelques conseils à suivre quand vous faites un point florentin, ou un ouvrage entièrement fait au point florentin.

1. Pour un ouvrage fait entièrement au point florentin, la meilleure grosseur de canevas à travailler est le numéro 14 unifil, la meilleure couleur de canevas est l'écru, la meilleure laine, la laine anglaise de broderie ou la laine perse. Une laine à tapisserie torsadée est à déconseiller. Sur le canevas 14 on travaille avec 4 brins de laine anglaise, 3 brins de laine perse, ou 5 brins de laine Medicis.

2. Calculez toujours 10 cm de plus de canevas que la taille de l'ouvrage voulu. Si c'est pour une chaise, 15 cm de plus.

3. Commencez le motif au milieu du canevas pour obtenir un ouvrage symétrique.

4. Un métier de petit point est conseillé pour les ouvrages d'une certaine grandeur... les chaises, tabourets, etc. Un métier n'est pas nécessaire pour les coussins ou les petits ouvrages. Un ouvrage fait avec un métier sera plus régulier quant à la tension des points, donc, plus joli comme travail.

5. Ne tirez pas trop avec les points florentins, sinon vous déplacerez les trames de canevas; si vous voyez que ces trames sont déformées, c'est que vous tirez trop sur le fil, soyez douce... il faut être doux avec la tapisserie!

6. Travaillez de gauche à droite et revenez sur le rang suivant de droite à gauche. C'est l'inverse pour un gaucher. Même si vous changez de couleur à chaque rang, cette façon de travailler en aller-retour vous donnera un envers plus solide.

7. Commencez vos points toujours par le bas, vous utiliserez

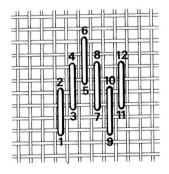

un peu plus de laine mais vous aurez un ouvrage plus solide (voir schéma).

8. Piquez comme si votre ouvrage était sur un métier (piquez, ressortez) ne « cousez » pas avec un point florentin. Si vous cousez comme pour faire les points montés en biais, au lieu d'avoir des points parfaitement droits, ils

seront légèrement en biais, parce que la laine suit l'aiguille et si l'aiguille sort en biais, même si c'est un point vertical, le point sera un peu en biais. Bien entendu, si on travaille en cousant, ça monte plus vite; mais pour les personne qui voudraient obtenir un joli ouvrage, piquez comme si votre ouvrage était sur un métier.

9. On commence un point florentin en piquant toujours d'abord de l'envers sur l'endroit dans un trou vide et en sortant vers l'envers dans un trou plein. C'est une règle très importante qui évite d'abîmer la laine.

10. Un ouvrage fait au point florentin est mieux réussi, au point de vue couleurs, si on choisit au moins 4 couleurs dégradées. C'est-à-dire... 4 tons de bleu marine, ou 4 tons de vert pomme, etc. On peut suivre les règles classiques :

a) clair, moyen, foncé, clair, moyen, foncé, etc.

b) clair, moyen, foncé, moyen, clair, moyen, foncé, etc. La solution « b » agrandit davantage le motif, « a » donne une géométrie très rigide.

11. Choisissez des couleurs qui vous plaisent. Evitez à tout prix de travailler avec une couleur que vous n'aimez pas, vous termineriez l'ouvrage lentement, et vous le détesteriez probablement.

Voilà 11 règles d'or qui vous aideront à réussir votre premier ouvrage au point florentin sans difficulté.

LES POINTS MONTÉS EN BIAIS

Voici la deuxième sorte de point, les points montés en biais. Ce sont des points comme le petit point, ou le demi-point. La plupart des gens connaissent le demi-point, mais il ne faut pas s'arrêter là; dans ce livre, il y a au moins une vingtaine de points variés sur le principe du petit point qu'on peut utiliser dans le même ouvrage, comme jeu de fond ou pour donner un relief décoratif à l'ouvrage.

Voici quelques conseils pour travailler les points montés en biais :

1. Pour apprendre ces points, prenez le canevas blanc unifil, grosseur 12, mais quand vous aurez perfectionné ces points, vous travaillerez avec la grosseur 14, le jeu sera plus amusant avec un canevas plus fin et le résultat beaucoup plus joli.

2. Les points en biais utilisent moins de laine dans une aiguille, normalement un brin de moins.

Sur un canevas 14 :

Laine anglaise et Medicis : 3 brins,

Laine perse « Paternayan » : 2 brins.

Sur un canevas 12 :

Laine anglaise « Appleton » : 4 brins,

Laine Medicis : 5 brins,

Laine perse « Paternayan » : 2 brins.

Pour une débutante je conseille la laine perse « Paternayan », c'est la plus solide et la plus facile à travailler, parce qu'elle se divise facilement. Son aspect

Trois interprétations des œuvres de Matisse faites aux points florentins et aux points montés en biais. Si vous avez déjà réalisé un coussin " sampler ", vous devez être capable de faire vous aussi de tels ouvrages.

brillant est très encourageant pour une débutante. En effet, même un ouvrage plein de petites erreurs sera joli avec cette laine perse, et le résultat sera si réussi que l'on ne verra plus les erreurs!

3. Les grilles sont dessinées pour un droitier; si vous êtes

gaucher, tournez la grille la tête en bas, suivez les mêmes numéros, et voilà!

4. Les points en biais n'ont pas besoin d'un métier, sauf si vous voulez faire un ouvrage entièrement au point Continental; ces points sont conseillés pour faire seulement les petits détails dans un dessin, et je vous conseille d'en éviter l'usage au maximum, parce qu'ils déforment trop un canevas, même après le redressage du canevas.

5. Pour piquer avec les points montés en biais, il est permis de travailler comme pour la couture, c'est-à-dire en piquant et en ressortant dans un même geste.

6. Ne pliez jamais votre canevas, il est préférable de le rouler. Lorsque vous travaillez un grand ouvrage avec des points en biais, pour éviter d'avoir beaucoup de canevas dans la main, roulez-le et enfermez-le avec des épingles à nourrice. C'est de cette façon que l'on travaille un tapis, on le roule et on met les épingles.

7. Pour éviter à la laine de faire un nœud avant que le point soit terminé, tenez le fil avec le pouce de la main qui tient le canevas, et lâchez-le juste avant que le point soit fait.

LES POINTS DE LA BRODERIE SUR CANEVAS

POINT DIAMANT

Le point Diamant est le premier point florentin que je vous apprends à faire. C'est un point vertical, lancé sur 1, 3, et 5 trames de canevas, avec un décalage d'un. La série est constituée de 5 points... 1, 3, 5, 3, 1. On peut travailler le point Diamant

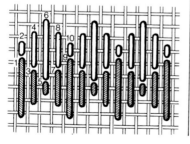

horizontalement aussi. Le point Diamant vous fera un joli coussin (suivez les règles de couleurs pour le point florentin); il est assez solide pour faire des dessus de chaises, de tabourets. Ce point est conseillé également pour le jeu de fond d'un ouvrage, l'effet est si joli! Faites très attention à ne pas trop tirer votre laine, sinon on ne verra pas les points qui sont lancés sur une seule trame du canevas.

LE POINT DIAMANT SOULIGNÉ

Voici une très jolie variation du point Diamant. C'est une série de 5 points lancés sur 2, 4, 6 trames

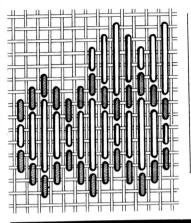

de canevas, le premier rang est monté comme pour le point Diamant, le rang suivant est une série de points lancés sur 2 trames de canevas (voir schéma). Ce point est très joli si on mélange deux matières, de la laine et du coton perlé. Il est adapté pour faire de jolis ouvrages : des ceintures, des sacs du soir. Travaillez-le pour faire un jeu de fond, dans des couleurs ton sur ton, l'effet est si joli et si raffiné.

POINT DE FLEUR *(texte page 32)*

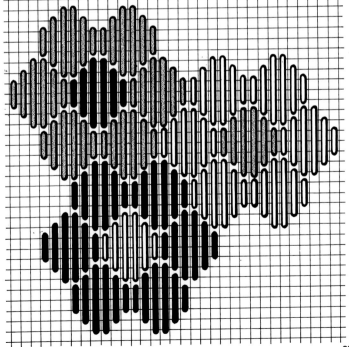

POINT DIAMANT

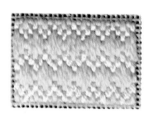

DIAMANT SOULIGNÉ

POINT DE FLEUR

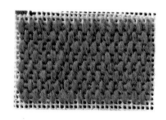

POINT PARISIEN

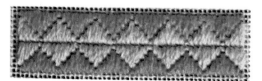

POINT PYRAMIDE OU TRIANGLE

GOBELINS VERTICAL

GOBELINS EN BIAIS

*POINT D'ENCADREMENT
(LA LAINE VIOLETTE)*

*VARIATION DE
POINT PYRAMIDE*

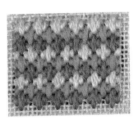

POINT HONGROIS

POINT DE FLEUR

Cette fleur est une variation du point Diamant. Elle est travaillée sur 3, 5, 7, 7, 5, 3 trames de canevas. Ce motif de fleurs vous donne de jolis ouvrages pas chers car il est parfait pour utiliser les restes de laine. Pour l'exécuter, on est obligé de suivre la grille pour placer les deux premières fleurs; faites attention à ce que les deux premières soient bien faites, sinon les autres seront mal faites. Je vous conseille de travailler ce point sur un métier. *(Illustration page 29.)*

POINT PARISIEN

Le point Parisien est travaillé comme le point Diamant, mais la série est plus courte... 1-3-1. On peut travailler le point Parisien horizontalement ou verticalement. Ce point est conseillé pour un jeu de fond et pour donner du relief à un motif. Faites très attention à ne pas trop tirer votre laine, sinon on ne verra pas les points lancés sur une trame du canevas.

POINT PYRAMIDE OU TRIANGLE

Le point Pyramide est travaillé avec une série de 1, 2, 3, 4, 5, 4, 3, 2, 1 et on reprend 2, 3, 4, 5, 4, 3, 2, 1... ce, point se décale sur un côté seulement. Il est très joli utilisé pour border vos ouvrages, et avec 4 rangs de ce point vous ferez une jolie ceinture à porter avec vos jeans.

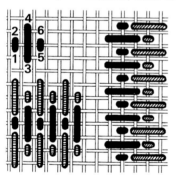

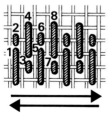

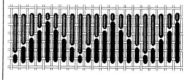

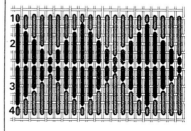

VARIATION DE POINT PYRAMIDE

Pour exécuter cette variation de point Pyramide, faites la série de 1-2-3-4-5- etc., tournez le canevas d'un quart de tour et recommencez. Si vous travaillez en 2 couleurs, après avoir fait la première série, au lieu de tourner le cane-

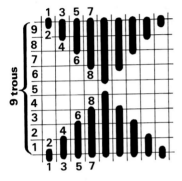

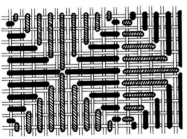

vas, comptez 9 trous vides en face de votre point sur une trame, et faites la série 1-2-3-4-5- etc., mais en descendant. Ce point est parfait pour faire des coussins pleins de couleurs fraîches d'après les quilts américains.

POINT DE GOBELINS

C'est le point le plus facile. On peut le faire dans plusieurs dimensions. C'est un point vertical, sans décalage, lancé sur 2, 3 ou 4 trames. Travaillé sur un canevas fin de 16 ou 18, on peut en faire des chaises à l'ancienne; on pense souvent que ces chaises étaient faites sur un métier de tissage (tapisserie) ce qui est vrai; mais elles étaient faites également sur du canevas fin en utilisant le point des Gobelins lancé sur 2 trames du canevas. Le point des Gobelins peut être fait en biais aussi; monté en biais il peut servir comme un joli jeu de fond vite fait.

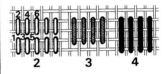

GOBELINS VERTICAL

GOBELINS EN BIAIS

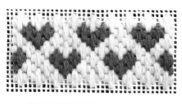

*VARIATION DE POINT
HONGROIS... LES CŒURS*

*POINT HONGROIS
ET LE POINT DE VAQUEZ*

LE BRIQUE SIMPLE

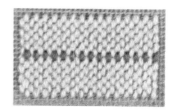

LE DEMI-BRIQUE

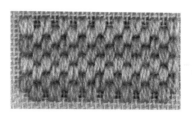

LE DOUBLE BRIQUE

*LE DOUBLE
BRIQUE NOUÉ*

POINT DE FLAMME

POUR DESCENDRE   *LE PETIT POINT*   **POUR MONTER**

LA SPIRALE

POINT D'ENCADREMENT

C'est un point des Gobelins vertical sur 3 ou 4 trames (ou trous). Mais au moment où on arrive au coin, on diminue, ensuite on tourne le canevas d'un quart de tour (comme on fait pour le point Pyramide) et on remonte. Il est toujours conseillé d'ajouter ce point autour d'un ouvrage terminé, parce que le tapissier en montant le coussin va prendre au moins 1 cm dans le corps de l'ouvrage et si vous n'avez pas ajouté ce point d'encadrement, il sera obligé de prendre dans le dessin du coussin.

Pour un joli coussin vite fait (environ 8 heures de travail), utilisez ce point d'encadrement avec la variation de point Pyramide. Trouvez le milieu de votre canevas, exécutez le point Pyramide; ensuite, encadrez-le avec le point d'encadrement lancé sur 4, faites le rang suivant au point d'encadrement lancé sur 12, le rang d'après sera lancé sur 4, etc.

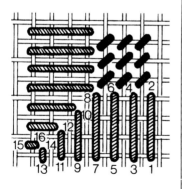

POINT HONGROIS

Et le voilà, le fameux point Hongrois! C'est aussi une variation du point Diamant. La série est 2-4-2, sauter un rang vertical, 2-4-2... Pour obtenir un vrai point Hongrois, il faut travailler avec un minimum de 3 couleurs dégradées,

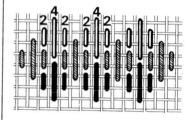

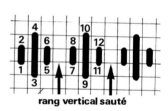

rang vertical sauté

par exemple, bleu clair, moyen et foncé; si vous travaillez avec 2 couleurs, le premier rang de couleur touchera le troisième, car le trou sauté s'intègrera au rang suivant (voir schéma). Le point Hongrois peut être utilisé également comme jeu de fond.

VARIATION DE POINT HONGROIS : LES CŒURS

Une charmante variation de point Hongrois vous donnera un ouvrage plein de petits cœurs. A

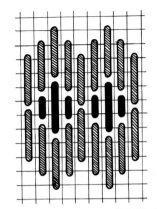

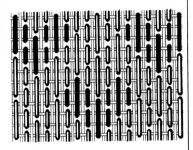

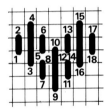

faire... des coussins en forme de cœur, des étuis à lunettes, des pelotes à épingles, etc. Des cadeaux parfaits pour ceux qui font collection de cœurs!

POINT HONGROIS ET LE POINT DE VAGUES

Une dernière variation du point Hongrois est faite quand on souligne un rang de 2-4-2... avec un rang de points lancés sur 4 trames. Travaillé en 2 couleurs, ton sur ton, ce point est très raffiné. Le point Hongrois peut être fait en laine et le rang de vagues en coton perlé ou vice versa.

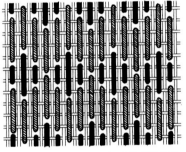

LES POINTS DE BRIQUE

Voici un point avec 4 variations qui vous servira toujours pour faire des jeux de fonds, très solides et très jolis. Ce point monte assez vite, et la façon de le monter le rend épais et donc très solide, c'est un point parfait pour le fond d'un tapis. Les points de Brique peuvent être montés horizontalement ou verticalement.

Il y a 4 variations de Brique :
1° le Demi-Brique;
2° le Brique simple;
3° le Double Brique;
4° le Double Brique noué.

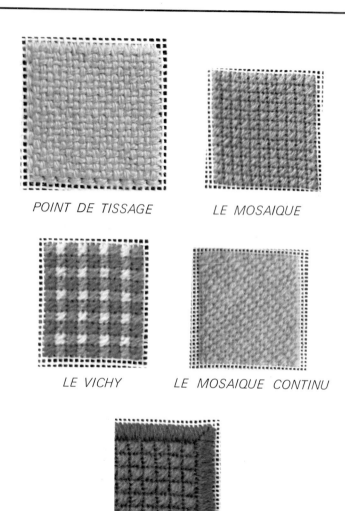

POINT DE TISSAGE

LE MOSAIQUE

LE VICHY

LE MOSAIQUE CONTINU

LE SCOTCH
(LA LAINE VERTE)

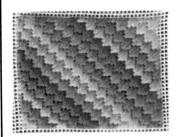

LE SCOTCH CONTINU

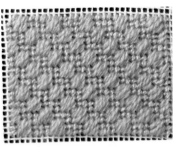

*LE POINT
MAURESQUE*

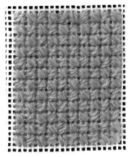

POINT CARRELAGE

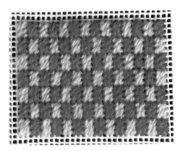

POINT DE CASHMERE

LE CASHMERE CONTINU

LE DEMI-BRIQUE

Le Demi-Brique est lancé sur 2 trames de canevas, soit horizontalement soit verticalement. Il n'y a pas de décalage pour le premier rang de travail, on fait un point sur 2 trames, on saute un rang vertical, on refait un point sur 2 trames et ainsi de suite.

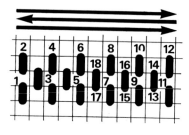

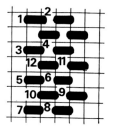

Au deuxième rang, on décale d'une trame, on fait les points dans les rangs verticaux qu'on a sautés, puis on continue comme pour le premier rang. Je vous conseille de travailler ce point de gauche à droite (premier rang) et de droite à gauche au rang suivant pour obtenir des points croisés sur l'envers, ce qui assure la solidité du travail.

LE BRIQUE SIMPLE

Le Brique est lancé sur 4 trames de canevas, au lieu de 2. On le monte comme le demi-Brique, mais le décalage est de 2 au lieu d'un. Ce point est conseillé pour faire les fonds des grands ouvrages, il est solide et vite monté.

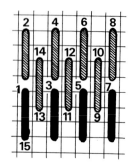

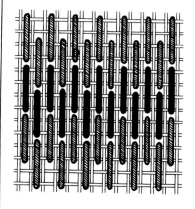

LE DOUBLE BRIQUE

Le Double Brique est monté comme le Brique simple, lancé sur 4, décalage de 2... mais on fait 2 points sur 4 trames avant de sauter 2 rangs verticaux au lieu d'un. Ce point s'adapte à des ouvrages entiers aux couleurs dégradées, et ce point est également joli comme fond ou bordure importante d'un ouvrage.

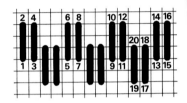

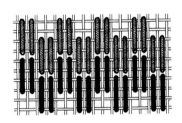

LE DOUBLE BRIQUE NOUÉ

Le Double Brique noué est le plus joli de tous les Briques, le plus décoratif, mais pas le plus facile ni le plus rapide. Il est conseillé d'utiliser ce point pour de jolis accents de relief, plutôt que pour un fond.

On monte le premier rang exactement comme le Double Brique, ensuite avec une autre couleur de

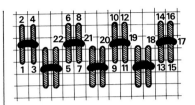

laine ou de coton perlé (plus joli) on commence à nouer chaque double brique (voir schéma).

Un conseil : ne faites pas un deuxième rang de Double Brique sans avoir noué le rang d'avant.

2e conseil : servez-vous d'une seconde aiguille pour pousser les points de Brique et voir le trou dans lequel vous devez piquer.

POINT DE FLAMME

Le Flamme est le premier point florentin que vous apprendrez avec une base de 4-2, c'est-à-dire que chaque point est lancé sur 4 trous ou trames de canevas, avec un décalage de 2 trames de canevas, en montant ou descendant, selon la direction du motif désiré. Le Flamme s'adapte bien pour faire des dessus de chaises,

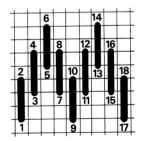

des tabourets, de très jolies ceintures, des étuis à lunettes, etc. Je vous conseille de le travailler dans un camaïeu de 4 couleurs, avec une cinquième qui tranche. Vous pouvez suivre la règle de couleur... clair, moyen, foncé, moyen, clair, ou clair, moyen, foncé, clair, moyen, foncé... (voir le schéma).

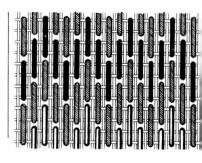

LA SPIRALE

Ce point florentin, la Spirale, peut être monté verticalement, comme le Flamme, ou horizontalement. Monté horizontalement, la Spirale peut servir comme embrases de rideaux, pour des galons de passementerie ou comme ceinture. Le principe est 4 - 2 (voir schéma).

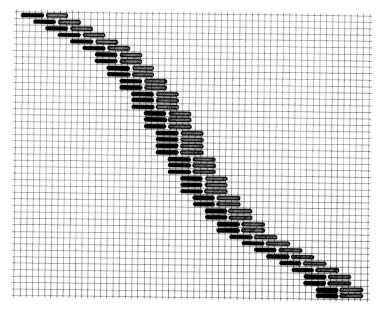

LE SMYRNE (BLEU)
LE POINT DE CROIX
(VERT)

LE POINT DE CROIX
ALLONGÉ

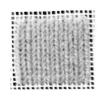

LES FEUILLES

POINT DE TRICOT

LE PETIT POINT

(le point de Saint-Cyr,
ou point de Panier)

Ce point est le plus solide de tous les points, et c'est le point qui délasse le plus! Pour l'apprendre, il faut un peu de patience, mais surtout beaucoup de pratique. Je vous conseille de prendre une chute de canevas et de vous exercer dessus avant de le mettre sur votre « sampler ». Lorsque vous vous sentirez à l'aise avec ce point, dessinez une fleur sur votre « sampler » et remplissez-la de ce petit point.

Il y a 4 règles à apprendre avec le Petit Point :

1° Comment monter.

2° Comment descendre.

3° Comment tourner.

a) Après avoir monté.

b) Après avoir descendu.

4° Travailler dans le sens du canevas.

Voilà quatre choses différentes à apprendre pour un seul point. Mais, les choses difficiles au début deviennent délicieuses à faire par la suite.

On monte l'aiguille horizontalement, on descend avec l'aiguille verticalement. C'est le rentré d'aiguille sur l'endroit qui change avec le petit point, pour sortir on le fait toujours en traversant en biais (voir schéma).

Pour tourner, il y a le choix entre 2 trous où on peut rentrer : soit le trou directement à gauche du point que vous venez de faire, soit le trou directement en dessous du point.

Après avoir tourné vous pouvez monter ou descendre. Voici une règle pour vous aider à décider dans quel trou vous devez rentrer.

1° Après avoir *monté,* le premier choix est le trou à côté, à gauche. Si on ne peut pas rentrer dans ce trou, on prend le trou en dessous.

2° Après avoir *descendu,* le premier choix est le trou en dessous. Si on ne peut pas rentrer dans le trou en dessous, on rentre dans le trou à côté, à gauche.

Quand vous aurez bien en main ce rythme de monter, descendre et de tourner, vous pourrez apprendre la dernière règle du petit point... travailler dans le sens du canevas.

Regardez votre canevas, vous remarquerez qu'il est tissé, c'est-à-dire tantôt il y a une trame horizontale sous une chaîne verticale, et tantôt une chaîne verticale sous une trame horizontale. Quand vous traversez une trame horizontale qui est sous une chaîne verticale vous devez toujours monter. La position de votre aiguille doit toujours être placée parallèlement à la trame (chaîne) par dessus. C'est votre aide-mémoire. Si vous ne savez plus si vous devez monter ou descendre, regardez la trame du canevas (c'est la trame à droite de votre fil, la trame qui sera couverte par le point). Si cette trame (chaîne) est verticale, vous placez votre aiguille verticalement, donc vous descendez, si elle est horizontale, vous allez monter. Je ne saurai insister assez sur l'impor-

POUR GAUCHER

POUR DROITIER

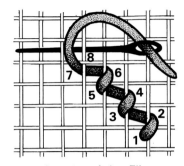

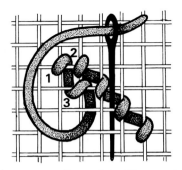

tance de cette règle. Elle vous aidera toujours. Avec cette règle vous pouvez commencer un canevas à n'importe quel endroit et vous saurez tout de suite si vous devez monter ou descendre. Vos points seront bloqués et ne glisseront jamais entre les trames de canevas, ce qui arrive souvent si vous travaillez contre le sens du canevas. Cela se remarque quand quelqu'un qui ne connaît pas cette règle est en train de travailler un fond foncé sur du canevas blanc, on verra le blanc du canevas. Ce n'est pas la laine qui ne couvre pas assez, ce sont les points qui ont déjà glissé, si bien qu'on voit le canevas.

Ne désespérez pas, ce point est difficile au début, mais avec de la pratique ce point devient automatique et est parfois le point qui délasse le plus, donc mettez vos cigarettes ou vos tranquillisants de côté et remplacez-les avec le Petit Point!

LE POINT CONTINENTAL

C'est un point simple, qui traverse en biais une trame du canevas. Ce point déforme le canevas, il n'est donc conseillé que pour souligner un motif et pas pour le remplir; bref, on utilise le point Continental dans les endroits où le petit point ne peut pas être utilisé. La pente de ce point doit toujours être de gauche à droite. Mais selon la direction, on travaille, on pique différemment. Si on monte, on travaille vers la droite et on pique de haut en bas. Si on descend, on travaille vers la gauche et on pique de bas en haut. Travailler le point de cette façon le rend plus solide.

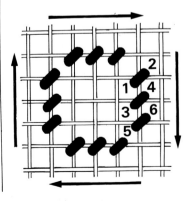

LE POINT DE TISSAGE
(l'envers du Petit Point)

Vous avez certainement remarqué l'envers du petit point. Cela ressemble au tissage, on peut faire l'envers du petit point sur l'endroit du canevas. L'envers du point de Tissage ressemble au petit point. Ce point est très joli comme fond d'un ouvrage, ou utilisé dans les dessins figuratifs. Ce point ressemble à de la vannerie si on prend un brin de deux couleurs différentes pour le travailler. Mais comme tous les points plutôt verticaux et horizontaux, ce point n'est pas très bien adapté pour faire les petits détails, une fleur sera mal rendue avec le point de Tissage. Ce point est vraiment l'envers du petit point parce qu'on monte verticalement et on descend horizontalement. (Voir schéma) (note : pour tourner c'est facile, on ne prend que la moitié du point, au lieu de monter de 2, on monte d'un...).

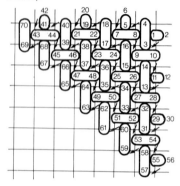

LE MOSAIQUE

Le Mosaïque, c'est trois points en biais que forment un carré. Ce point est très décoratif et très utile comme fond d'un ouvrage. Il y a deux façons de travailler le Mosaïque :

1° horizontalement, de droite à gauche

2° monter et descendre en diagonale (comme le Petit Point). Je préfère la deuxième façon, parce que l'autre déforme le canevas, de plus le travail en diagonale monte plus vite.

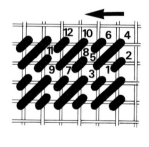

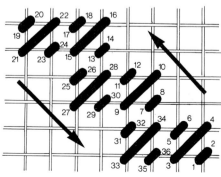

LE VICHY

(variation du Mosaïque)

Le Vichy, le dessin du coton bien connu, peut être réalisé en tapisserie. On l'exécute avec trois couleurs, par exemple, bleu clair, bleu moyen, et du blanc. On travaille horizontalement de gauche à droite et de droite à gauche. On commence avec le bleu clair et on fait un point de Mosaïque, après on saute un rang vertical et on refait un Mosaïque, etc. Une fois le fond rempli avec le bleu clair, on remplit nos rangs verticaux sautés avec le bleu moyen, mais seulement les rangs impairs. Les rangs pairs seront remplis en dernier avec du blanc. Le « Scotch » peut être réalisé en Vichy aussi.

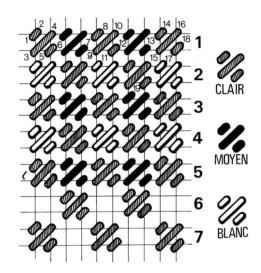

CLAIR

MOYEN

BLANC

LE MOSAIQUE CONTINU

Une variation du Mosaïque, le Mosaïque continu est un très joli point de fond. Si vous avez un dessin avec des rayures, le Mosaïque continu est fait pour ce genre de dessin. Ce point déforme le canevas, mais au redressage, le canevas redevient droit. Le point monte et descend comme le petit point, mais pour maintenir une bordure droite ce n'est pas évident, vous serez obligé de compenser vos points sautés après avoir terminé. Lorsque vous aurez beaucoup pratiqué ce point, vous connaîtrez le système de compensation, mais au début cela ne sera pas si simple. (Voir schéma.)

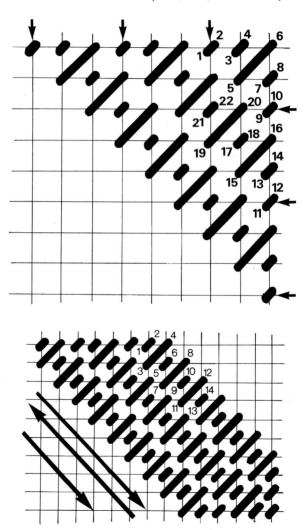

LE SCOTCH

Le Scotch est un point carré, comme le Mosaïque, avec autant de variations. Le Mosaïque est formé avec trois points, le Scotch avec 5. On l'exécute soit en diagonale soit horizontalement. Le Scotch est très décoratif et utilisé comme jeu de fond, il va vite, mais attention, ne tirez pas trop ou vous aurez un canevas très déformé!

Scotch en diagonale

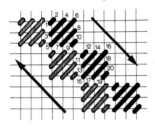

Scotch horizontalement

LE SCOTCH CONTINU

Comme le Mosaïque, le Scotch se continue aussi. On le monte de la même façon que le Mosaïque continu, mais en faisant plus attention à la tension pour ne pas trop tirer! Faites un coussin uniquement avec le Scotch continu dans les couleurs vives (voir photo), ou utilisez-le en jeu

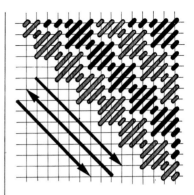

de fond, c'est un point qui monte vite et qui donne beaucoup de relief à l'ouvrage.

LE POINT MAURESQUE

Ce point était inspiré par les dessins géométriques dans les mosquées à Cordoue et Grenade. C'est une variation de Scotch continu. Pour l'exécuter, on fait

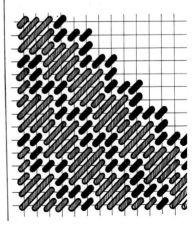

Voici le troisième ouvrage de Sophie Pretelat, ancienne élève d'un cours de broderie sur canevas à l'américaine. Le jeu de fond est travaillé au point carrelage, les œufs au petit point et au point de croix, le nid au demi-brique et brique simple verticalement et horizontalement.

un rang de Scotch continu et ensuite en laine ou avec du coton perlé (l'effet est plus joli), on souligne le rang de Scotch continu avec le point Continental. C'est un point utile comme jeu de fond ou en motif décoratif. Souvenez-vous... en faisant le point Continental, changez de sens pour piquer selon la direction, de haut en bas ou de bas en haut.

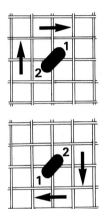

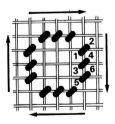

point Continental

LE POINT CARRELAGE

(variation des points Mosaïque, Scotch ou Cashmere)

Le point « Carrelage » part au point de Mosaïque, Scotch, ou Cashmere dans les directions opposées, c'est-à-dire si la pente du premier Mosaïque est de gauche à droite, le Mosaïque suivant sera de droite à gauche. On travaille le point horizontalement, on monte les points de gauche à droite en premier, ensuite on revient et on remplit les rangs sautés avec les points de droite à gauche. L'effet est si joli! Avec un jeu de fond qui sort de l'ordinaire, un ouvrage devient quelque chose de bien.

Travailler A en premier
remplir avec B
C - le résultat

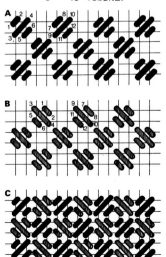

LE POINT DE CASHMERE

Vous êtes fatiguée des points carrés? Le cashmere est un point rectangulaire exécuté sur le même principe que nos amis, le Mosaïque et le Scotch. Le Mosaïque est une unité de 3 points, on peut dire que le Mosaïque couvre 2 trames en longueur et en largeur; le Scotch est une unité de 5 points, 3 trames en largeur et en longueur, le Cashmere est entre les deux. Le Cashmere est une unité de 4 points; 2 trames en largeur et 3 en longueur. Comme ses amis, le Cashmere monte en diagonale ou horizontalement. C'est un point décoratif ou utilitaire, comme jeu de fond. Comme le Mosaïque et le Scotch, utilisés dans un dessin, il faut compenser les points, c'est-à-dire que si on ne peut pas faire nos 4 points pour faire un Cashmere, on fait ce qu'on peut. (Voir schéma.)

Le Cashmere peut être utilisé aussi dans un motif « Vichy » et exécuté comme le point de Carrelage.

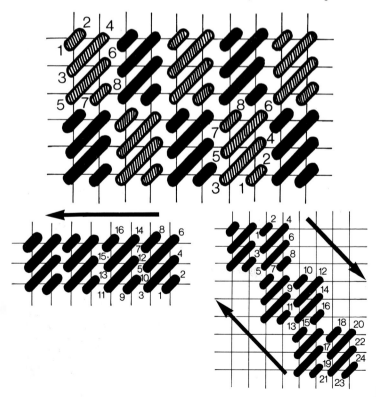

LE CASHMERE CONTINU

Le Cashmere continu est très joli utilisé pour le fond d'un ouvrage. Le principe d'exécution est pareil à ses amis le Mosaïque et le Scotch continu. Note... le premier rang et le troisième seront parallèles. (Voir schéma.)

Le premier rang est parallèle au troisième

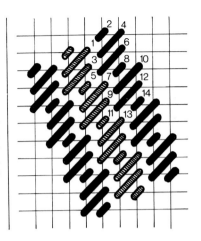

LE POINT DE CROIX

Comme le nom l'indique c'est une croix tout simplement! C'est facile à faire, mais pas très rapide. Des ouvrages entiers sont faits avec ce point, mais personnellement je préfère le petit point, car le point de Croix correspond

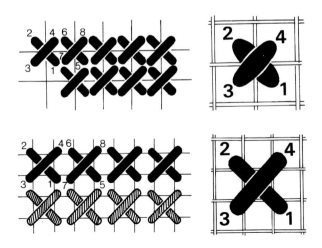

Un charmant panneau pour chambre d'enfant fait par ▶
Sophie de Laporte aux points variés.

Deux beaux ouvrages pour décorer votre appartement et gagner l'admiration de vos invités :
— le tabouret, ouvrage de Irène Amic, est travaillé au point florentin. Le motif : la spirale. Irène Amic a utilisé un canevas unifil écru 14, de la laine anglaise Appleton et du coton perlé DMC. Un ouvrage facile à faire.
— Le tapis, ouvrage de Françoise Grosgogeat, a été travaillé sur un canevas blanc unifil 12, avec de la laine perse Paternayan. Le dessin a été exécuté au petit point, le jeu de fond à l'intérieur du bambou est au demi-brique horizontal et le jeu de fond à l'extérieur du bambou au mosaïque continu.

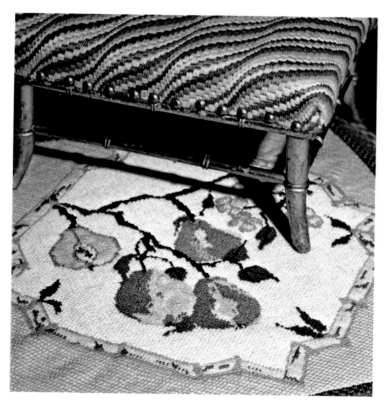

Vous pouvez décorer votre tablier avec un dessin de rubans croisés, en apprenant les points de broderie sur canevas (ici, ouvrage de Kell Kelly).

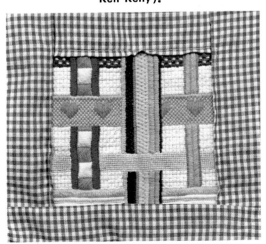

à deux fois plus de travail! J'utilise ce point pour le petit détail en relief. Je trouve aussi que le point de Croix s'adapte bien au dessin géométrique, mais mal au dessin floral, arrondi. Donc, si vous avez le courage d'en faire tout un tapis parce que vous avez estimé que c'est un point solide, bon courage! En tout cas, il n'y a rien de plus solide que le petit point.

POINT DE SMYRNE

C'est une variation du point de Croix, une croix en biais, et une croix droite. On voit ce point souvent utilisé dans les ouvrages scandinaves et les pays nordiques. C'est un point très en relief, haut, comme une boule. Si vous êtes économe, ce point ne vous conviendra pas, il mange beaucoup de laine.

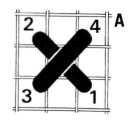

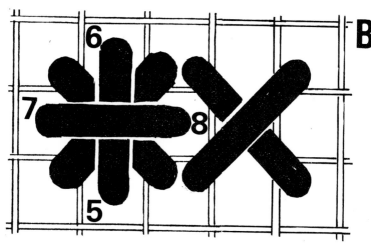

LE POINT DE CROIX ALLONGÉ
(le point de montage)

Voici une variation du point de Croix, très utile pour monter vos étuis, pochettes, ceintures, etc. Ce point est aussi un point décoratif dans un ouvrage. (Voir schéma.)

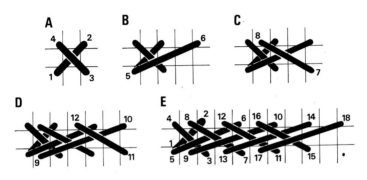

LES FEUILLES

Voici un point très décoratif, les Feuilles. C'est un point lancé en biais, donc on suit nos règles de laine pour les points montés en biais. Ce point peut faire des bordures ornementales, mais faites attention à ce que vos coins tombent bien!

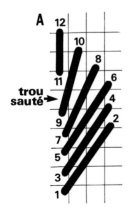

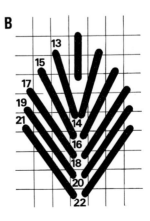

POINT DE TRICOT

On ne peut pas faire des pull-overs avec ce point mais on peut imiter le point de tricot sur du canevas. Ce point est décoratif et on peut l'utiliser comme jeu de fond.

Personnalisez votre intérieur avec de petits accessoires faits au petit point et protégés par du plexiglas : ronds de serviettes et bloc - téléphone pour commencer...

Échantillonnage d'une gamme de couleurs pour la laine perse « Paternayan » (il existe 300 couleurs).

LES ADRESSES UTILES

Pour trouver le canevas de 100 % coton...

Zweigart et Sawitzki Postfach 120 Fronäckerstr. 50
7032 Sindelfingen — Allemagne *(vente en gros).*

Sté Margot et Cie, 32, rue Alexandre-Dumas, 75011 Paris. — Tél. : 371-25-10. *(vente en gros).*

(L'importateur en France pour le canevas de Zweigart... Il importe les grosseurs 14 et 16 unifil écru, en 1,50 m de large, les adresses en province sur demande en écrivant à la maison Margot; dites bien que vous cherchez le canevas de Zweigart.)

Galeries Lafayette, 40 bd Haussmann — Paris 9e.

(Vente au détail, le canevas unifil écru, grosseur 16 en 1,50 m de large, de Zweigart et Sawitski).

Printemps, 64, bd Haussmann — Paris 9e.

(Vente au détail, le canevas unifil écru, grosseur 14 en 1,50 m de large, de Zets.)

Kell's Corner (la tapisserie américaine), 94, rue de Grenelle — Paris 7e.

(Vente au détail, chez Kell's Corner vous trouverez toutes les fournitures dont on parle dans ce livre, le canevas 100 % coton de Z. et S., unifil blanc, en grosseurs 10, 12, 14, 18, unifil écru grosseur 14, tout en 1 m de large; la laine anglaise, la laine perse « Paternayan », la laine Medicis, etc.)

Pour trouver la laine Anglaise...

Appleton Bros Ltd., Thames Works, Church St., Chiswick, Londres W4, 2PE — Angleterre *(vente en gros).*

Kell's Corner, 94, rue de Grenelle, Paris 7e.

Pour trouver la laine perse « Paternayan »

Paternayan Bros. Inc., 312 East 95th ST. — New York, N.Y. 10028 U.S.A. *(vente en gros).*

Kell's Corner, 94, rue de Grenelle — Paris 7e.

Pour trouver la laine Medicis

D.M.C., 50, bd Sébastopol — Paris 3e *(vente en gros).*

(Si vous écrivez à la maison D.M.C., elle vous donnera des adresses où vous pourrez acheter la laine Medicis au détail dans votre région.)

Jeux d'aiguilles, 269, rue St-Honoré — Paris 1er.

Kell's Corner, 94, rue de Grenelle — Paris 7e.

Vous pouvez également consulter le fichier à jour pour les fournitures ou stages de la Maison des Métiers d'Art Français, 28, rue du Bac, 75007 Paris - Tél. 261.58.54.

TABLE DES MATIÈRES

Coussin « sampler » fait par Kell Kelly.

REMERCIEMENTS

Je voudrais remercier tous les gens qui, autour de moi, ont rendu la réalisation de ce livre possible. Martine Silber et Carmen, qui ont corrigé toutes mes fautes de français, quel travail! Soub, qui reste à mon côté, malgré tous mes caprices! Mes parents qui m'encouragent, et tous mes amis qui m'inspirent et m'aident à garder le moral, lorsque je n'ai plus confiance (comme tous les artistes). Je remercie tous mes anciens élèves qui ont écrit ce livre avec moi, sans le savoir, parce qu'ils m'apportent toujours de nouvelles idées, avec leurs créations. Je remercie spécialement celles qui ont prêté leurs ouvrages afin d'illustrer ce livre et afin de vous donner une meilleure idée de tout ce que vous pourrez créer avec les points que vous apprendrez : Irene et Ileana Amic; Marie Françoise Deschenes; Françoise Grosgogeat; Sophie de Laporte; Sybil d'Origny; Sophie Pretelat; Martine Silber.

Collection placée sous le patronage de
JACQUES ANQUETIL
Président-Fondateur de la Maison des Métiers d'Art Français

Imprimé en France par FIRMIN-DIDOT S.A.
Dépôt légal : 2e trimestre 1979
N° d'édition : 691 — N° d'impression : 3999